CORENTIN LE CRABE TROUVE UN TRÉSOR

Corentin le crabe trouve un trésor

Histoire de ***Tuula Pere***
Illustrations de ***Roksolana Panchyshyn***
Mise en page de ***Peter Stone***
Traduction française de ***Joëlle Da Cunha***

ISBN 978-952-325-170-0 (Hardcover)
ISBN 978-952-325-171-7 (Softcover)
ISBN 978-952-325-172-4 (ePub)
Première édition

Publié en 2021 par Wickwick Ltd
Helsinki, Finlande

Colin the Crab Finds a Treasure, French Translation

Story by ***Tuula Pere***
Illustrations by ***Roksolana Panchyshyn***
Layout by ***Peter Stone***
French translation by ***Joëlle Da Cunha***

ISBN 978-952-325-170-0 (Hardcover)
ISBN 978-952-325-171-7 (Softcover)
ISBN 978-952-325-172-4 (ePub)
First edition

Published 2021 by Wickwick Ltd
Helsinki, Finland

Originally published in Finland by Wickwick Ltd in 2017
Finnish "Timo Taskuravun aarre", ISBN 978-952-325-078-9 (Hardcover), ISBN 978-952-325-578-4 (ePub)
English "Colin the Crab Finds a Treasure", ISBN 978-952-325-333-9 (Hardcover), ISBN 978-952-325-833-4 (ePub)

FRENCH EDITION

Corentin le crabe trouve un trésor

Tuula Pere · Roksolana Panchyshyn

WickWick
Children's Books from the Heart

Dans la cuisine de Corentin le crabe, chaque chose avait sa place. Il ne possédait pas grand-chose et pour la plupart partie, c'était l'héritage de ses grands-parents. Corentin menait une vie modeste de labeur et appréciait la tranquillité de sa maison, qu'il avait construite de ses propres pinces.

Sa bouilloire grise chantait gaiement sur la cuisinière. Comme elle avait beaucoup servi, elle était plutôt cabossée mais cela ne dérangeait absolument pas Corentin. Il savait lui qu'elle servait à faire les meilleurs ragoûts et soupes de toute la baie. Aussi invitait-il aussi souvent son groupe d'amis à venir les déguster avec lui. Toutefois, Corentin était maintenant tout seul, assis dans son fauteuil à bascule en attendant que son gruau d'algues cuise.

Un bon petit déjeuner, voilà ce qu'il lui fallait, car il allait faire des courses au magasin de Popaul le poulpe près de l'embouchure de la rivière. Corentin devait remplir ses placards. Il n'avait presque plus d'épices et la boîte de tisane était tout à fait vide. Il lui fallait aussi de la poudre d'algue.

Corentin posa le gruau sur le bord de sa cuisinière pour qu'il épaississe et décida de faire un tour à sa cabane à outils avant de déjeuner. Il adorait construire et devait tout le temps stocker de nouveaux matériaux. Même maintenant, il lui fallait des clous, du fil de fer et de grosses charnières pour le portail tout de guingois de Mme Barbillon.

Ça allait être une semaine très chargée car Corentin était un expert très demandé. Tous les habitants de la baie avaient confiance dans les réparations qu'effectuaient ses pinces habiles sur leurs maisons. Ressentant une certaine fierté, il bomba sa cuirasse et se dirigea vers sa cuisine pour déjeuner.

Le magasin de Popaul le poulpe n'était pas loin mais Corentin devait se garder pas mal de temps pour y arriver. En effet, tout le long de la route, alors que sa remorque était encore vide, il avait l'habitude de s'arrêter pour bavarder avec ses amis et emmener quiconque souhaitait aller faire ses courses. Une fois la remorque remplie, cela prendrait aussi longtemps pour revenir car, après tout, il devait aussi lutter contre le courant.

Comme toujours lorsqu'il partait, il se retourna pour regarder sa maison.

«Quelle maison merveilleuse !», pensa-t-il, hochant la tête, satisfait.

C'est lui tout seul qui l'avait construite. Chaque étage, chaque pièce, chaque fenêtre et chaque escalier. Ce qui avait été au départ un modeste appartement s'était peu à peu élevé vers le ciel le long de la rive parmi les plantes. Corentin s'installait souvent sur son toit le soir et admirait la lumière argentée de la lune qui brillait sur les prairies riveraines et la surface de la baie.

«Vraiment, c'est une maison merveilleuse», pensa-t-il en fermant avec soin le portail derrière lui.

Le cœur léger, Corentin poussa sa remorque et descendit la rivière en repassant sa liste de course dans la tête. Le courant était calme et l'emporta gentiment vers l'aval de la rivière.

Des galets arrondis par le courant bordaient le méandre éloigné de la rivière. Cet endroit, formé par la nature, était idéal pour la baignade et les habitants voisins y venaient souvent. Déjà, de loin, Corentin que l'eau bouillonnait furieusement et que le doux lit sablonneux se soulevait en nuages. Cela ne pouvait signifier qu'une chose : Estelle l'étoile de mer prenait son bain matinal et se brossait les cinq bras en même temps.

«Cher Corentin, tu n'es sûrement pas si pressé que ça. Je vais avoir fini dans une seconde, s'écria Estelle depuis son bain glougloutant. Je suppose que tu peux m'emmener en aval ?

– Mais bien sûr, répondit Corentin, tout content. Il n'y a rien encore dans ma remorque et tout plein de place pour toi.»

Et donc, en un rien de temps, Estelle toute propre s'installa dans la remorque, déplia ses bras et passa du bon temps.

«C'est tellement plaisant d'aller au magasin de Popaul le poulpe. On peut y faire ses courses et y rencontrer ses amis en même temps, dit Corentin.

– Eh bien, c'est un magasin convenable si l'on veut quelque chose d'ordinaire, répliqua Estelle, en plissant légèrement le nez. Mais la plupart de ce qu'il me faut est spécial. De la cire à faire briller les bras et une crème pour les ventouses ne sont disponibles qu'en boutique spécialisée.»

Un peu honteux, Corentin opina. La nourriture normale et des outils ordinaires lui allaient très bien et on pouvait toujours en trouver au magasin de Popaul le poulpe.

Il y avait foule devant le magasin de Popaul. Corentin trouva un endroit de parking plus tranquille pour sa remorque au coin de la rue mais Estelle alla directement voir ce qui se passait.

Corentin s'approcha de la foule prudemment. Le centre d'attention se trouvait clairement au milieu du groupe. Le crabe ne comprenait que quelques mots par ci par là parmi le bruit général. C'était Camille l'anguille qui parlait.

«Tout à fait nouveau... fonctionne pleinement en haute mer ... muni d'un alternateur et d'une turbine à effulgence...» L'anguille faisait l'article pour un appareil qui avait capté l'attention de tout un chacun.

Corentin se traîna un peu en amont. Depuis son poste, il dominait le magasin et voyait Camille l'anguille qui savourait pleinement le fait d'être au cœur de l'animation grâce à la nouvelle merveille technologique placée à ses côtés. Il avait en effet fait venir d'outre-mer un moto-coptère et en était très fier.

«Mon nouveau moto-coptère est sans nul doute le transporteur le plus rapide de la rivière, se vanta Camille. Je vais bientôt aller le tester dans l'océan. Je vous assure que même ma famille de la mer des Sargasses en restera baba quand elle le verra.»

Sans que personne ne le remarque, Corentin descendit le long de la rive et se faufila dans le magasin vide de Popaul le poulpe. Bien sûr, lui aussi avait compris à quel point le vaisseau était fabuleux mais il n'avait pas envie de trop s'exciter à son sujet.

Lui-même n'avait aucun besoin d'utiliser un engin avec un moteur ronflant et trop de boutons. Il ne pouvait s'empêcher de se demander comment diable Camille l'anguille trouvait suffisamment de choses à faire avec tous ses gadgets. Au moins, une chose était sûre, Camille ne devait jamais s'ennuyer. Il fallait toujours changer une pièce, acheter des accessoires et réviser des moteurs.

Camille taquinait souvent Corentin en le traitant de dernier fossile vivant dans la baie de la rivière. Mais ça ne dérangeait pas Corentin. Les crabes étaient comme ça, l'avaient toujours été et le seraient toujours. C'est ce que le grand-père de Corentin disait et c'était un crustacé sagace.

Corentin décida de prendre son temps et de se concentrer sur sa propre liste de courses.

Corentin avait vite trouvé ce dont il avait besoin. Il avait le propriétaire pour lui tout seul, puisque le reste des clients était sorti admirer le moto-coptère de Camille l'anguille.

«Voici un outil de technologie de pointe qui pourrait t'intéresser, Corentin, suggéra Popaul le poulpe tenant dans ses tentacules une perceuse reluisante.

– Ma vieille perceuse marche encore très bien, répondit Corentin, honteux.» Il ne pouvait pas abandonner la vieille perceuse que son grand-père lui avait donnée. Elle s'ajustait parfaitement à ses pinces et ne faisait aucun bruit fort et dérangeant.

– Que penses-tu de ces promotions, alors ?, gesticula le poulpe en désignant les étagères qui l'entouraient. Nous aussi, nous avons beaucoup d'articles de luxe à des prix abordables.

– Merci mais je pense avoir tout ce qu'il me faut, murmura Corentin, en hésitant.

– Eh bien, peut-être la prochaine fois, alors. Quelque chose de nouveau et de rafraîchissant pour saluer le printemps», suggéra le poulpe, optimiste.

Se sentant bizarre, Corentin apporta ses achats à sa remorque et repartit vers chez lui.

Estelle l'étoile de mer avait refusé qu'il la ramène car elle voulait sauter plus tard dans le moto-coptère de Camille et rentrer chez elle en un éclair.

Corentin luttait mètre par mètre contre le courant. Est-ce que celui-ci était plus fort maintenant ou est-ce que le chargement était plus lourd que d'habitude ? Les roues se coinçaient tout le temps entre les galets du fond mais Corentin poursuivit son chemin.

Quand Corentin le crabe atteignit la maison de cette bonne vieille Mme Barbillon, il dut s'arrêter pour reprendre son souffle. Il s'assit sur le montant de sa remorque et regarda la maison. Elle lui était très familière car Mme Barbillon avait tout le temps besoin de son aide pour la réparer. Cette pauvre maison s'effondrerait s'il n'en prenait pas soin.

Autrefois, ça avait été un bâtiment imposant. Maintenant, ses jours de grandeur étaient passés mais Mme Barbillon ne se voyait vivre nulle part ailleurs. Sa maison était remplie de souvenirs et de choses qui lui étaient chères.

«Une véritable antiquité, s'écria Mme Barbillon depuis son balcon en brandissant un candélabre à plusieurs branches.

Elle était plongée dans son activité préférée : astiquer ses trésors. Corentin proposa son aide mais Mme Barbillon déclina l'offre.

«Tu es peut-être le meilleur bâtisseur et le meilleur réparateur de toiture du voisinage mais tes pinces ne sont pas faites pour toucher de la porcelaine de valeur ou de l'argenterie ancienne, expliqua-t-elle. Tandis que moi, j'ai des années d'expérience dans ce genre de travail.

– Je comprends très bien», répondit Corentin en saisissant les poignées de sa remorque de ses fortes pinces.

La vieille Mme Barbillon fit au revoir à Corentin de son chiffon à astiquer et continua à travailler sur ses antiquités.

Il y avait toujours de l'animation chez Norma Triton. Sa grande famille menait une vie mouvementée. Il y avait tellement de bébés tritons que Corentin en avait perdu le compte. Toujours débordante d'énergie, Norma sortit pour échanger des nouvelles.

«Ça a été une sacrée matinée, soupira la maman triton, en s'essuyant les mains à son tablier.

– J'espère qu'il n'est rien arrivé de grave, répondit Corentin, inquiet.

– Les enfants ont tellement été agités que je n'ai pas pu faire de gâteau. Le premier plat de larves d'insectes a été complètement raté et on est censé avoir une fête ce soir pour l'anniversaire du petit-dernier.»

Les petits tritons étaient montés sur le chargement de Corentin. Patiemment, il les regarda jouer et dégagea deux des plus petits qui s'étaient pris les pieds dans une pelote de ficelle.

Certains jours, Corentin le crabe rêvait d'avoir une famille à lui. Ça aurait été le plus grand de tous ses trésors. Comme il aimerait placer plein d'assiettes sur la table ronde de sa cuisine et raconter des histoires le soir à ses bébés crabes. Bien sûr, Corentin avait des tas d'amis qu'il aimait inviter dans son nouveau pavillon. Mais la plupart du temps, sa maison était calme. Il avait peu de famille et tout le monde vivait loin.

Corentin poussa un soupir mélancolique et poursuivit son chemin. Le chargement semblait encore plus lourd qu'auparavant. Norma Triton se dépêcha de retourner à ses gâteaux tandis qu'une douzaine de petits tritons restait dehors à jouer dans la cour encombrée parmi les herbes.

Le plancher craquait sous le fauteuil à bascule de Corentin. La tasse de thé refroidissait dans ses pinces. Cela faisait un bon moment qu'il était assis perdu dans ses pensées, à regarder par la fenêtre la nuit tomber sur la rivière. Il se sentait étrangement sombre depuis son retour des courses.

Corentin repensa aux événements de la journée. Cela lui avait fait plaisir de rencontrer ses amis Estelle l'étoile de mer et Camille l'anguille, Mme Barbillon et Norma Triton. Corentin était heureux pour eux car tout semblait aller bien dans leur vie. Il était difficile d'imaginer une étoile de mer plus belle qu'Estelle. Le commerce de Camille florissait et Mme Barbillon était heureuse dans sa vieille maison, entourée de ses antiquités.

Les plus heureux de tous étaient les tritons, pensa-t-il. Bien que Norma Triton semblât terriblement fatiguée parfois, elle n'aurait échangé aucun de ses bébés pour n'importe quel trésor du monde. Corentin en était certain quand il voyait le regard tendre qu'elle portait à ses enfants, malgré la bousculade.

Pensif, le crabe se balançait sur son fauteuil. Même si tout allait bien, il n'était pas satisfait. Peut-être qu'il manquait quelque chose d'important dans sa vie après tout. Mais quoi ? Corentin ne se voyait pas portant des habits chic et être le centre d'attention, ni prendre place dans un moto-coptère. Et pas besoin d'argenterie brillante ni de porcelaine délicate dans sa cuisine.

Est-ce que Corentin était beaucoup trop ordinaire, voire ennuyeux? Sa vie suivait son cours familier sans avoir de grande nouvelle à annoncer ni de trésor à déployer. Corentin rinça sa tasse et se mit au lit sous sa couette.

Pendant la nuit, l'eau de la baie s'était retirée, ce qui n'était pas bon signe. Corentin se réveilla au milieu de son rêve et regarda par la fenêtre de sa chambre. Il était inquiet. Soudain, la marée sembla changer et commença à couler dans la mauvaise direction. De grandes masses d'eau commencèrent à remonter la rivière. L'océan avait envoyé un raz-de-marée qui remontait depuis le delta dans la rivière.

La maison de Corentin était solide et résisterait à la tempête. Toutes sortes de choses détachées flottaient au gré des vagues. Des tourbillons faisaient tournoyer des détritus autour des rambardes de son porche. Mais d'où diable provenait ce cliquetis contre les piliers de son pavillon ?

Corentin se glissa dehors et traversa sa cour en rampant prudemment en direction de son pavillon. Il devait se tenir solidement aux pierres et aux plantes du fond de la rivière. Après s'être bien battu, il finit par atteindre le pavillon et vit que le courant avait apporté une huître perlière d'un parc à huîtres de l'océan. L'huître se cognait partout hors de contrôle et Corentin eut bien du mal à la sauver.

Finalement, il arriva à l'attraper dans ses pinces. Il l'attacha fermement à son pavillon à l'aide d'une corde à ancre et passa le reste de la nuit à la surveiller.

«Et dire qu'une vraie huître perlière est venue ici de l'océan, pensa-t-il tout content. Je me demande s'il y a une magnifique perle dans sa coquille.» Voilà une histoire à raconter à ses amis.

Corentin tapa gentiment sur la coquille de l'huître mais celle-ci, têtue, refusa avec entêtement de s'ouvrir. Corentin ne se découragea pas ; il attendrait patiemment.

Corentin avait passé toute la nuit auprès de l'huître. Le courant s'était calmé et le soleil matinal réchauffait l'eau peu profonde de la baie. La coquille de l'huître restait bien fermée et Corentin n'arrêtait pas de jeter des regards tendres à son invitée.

«Pauvre petite huître. Tu as dû vivre des moments difficiles, se disait le crabe. Heureusement que ta coquille n'a pas souffert et que tu es maintenant en sûreté, ici avec moi.»

Les heures passaient. Corentin attendait patiemment près de l'huître dans son pavillon et lui parlait doucement. Vers midi, il frappa légèrement sur un des côtés de la coquille.

«Je t'ai porté un peu à manger, mon amie, lui dit-il gentiment. Il faut que tu manges quelque chose.»

La coquille s'entrouvrit. Finalement, le crabe réussit à faire passer une goutte de sa délicieuse soupe d'insectes à son invitée intimidée. Rapidement la coquille se referma, laissant un Corentin déçu, une cuillère vide dans la pince. Juste comme il commençait à se sentir désarmé, la coquille se rouvrit.

«C'était délicieux. Je n'ai jamais rien mangé de meilleur, déclara une voix faible depuis l'intérieur de la coquille. Je m'appelle Priscilla l'huître perlière. La tempête m'a rejetée loin de chez moi, le parc à huîtres sur la côte. Merci de m'avoir aidée.»

En silence, il continua à la nourrir, une cuillerée après l'autre, jusqu'à ce que l'huître n'eût plus faim.

Corentin était occupé à accomplir ses tâches toute la journée. Il gardait quand même un oeil sur l'huître qui se reposait à l'abri du pavillon.

«Maintenant, même moi j'ai quelque chose de précieux chez moi, ou en tout cas, c'est ma nouvelle amie qui l'a», pensa-t-il en imaginant la perle éblouissante qui nichait dans sa coquille.

Cela prit quelque temps à Priscilla pour récupérer des épreuves que lui avait fait subir le raz-de-marée. Corentin se rendit compte qu'elle avait des difficultés car elle avait atterri dans un lieu étrange parmi de parfaits inconnus. Le voyage depuis le parc à huîtres sur la côte et à travers le delta houleux de la rivière avait été rempli de dangers. Mais maintenant, Priscilla se trouvait à l'abri dans la baie du crabe.

Alors que la nuit tombait et que la lune s'élevait dans le ciel, les nouveaux amis se racontèrent des histoires de leur vie.

«Tu mènes sûrement une vie excitante là-bas dans le vaste océan, soupira Corentin d'un air rêveur, alors que l'huître lui parlait des récifs de corail coloré et des énormes transatlantiques qui apportaient de la marchandise de pays lointains.

– Tu ne vas pas me croire, Corentin, mais en fait, c'est moi qui t'envie, lui répliqua pensivement Priscilla. Bien sûr, je suis fière de la perle que j'abrite dans ma coquille mais sinon, ma vie est plutôt monotone. Jour après jour, je suis obligée de rester dans le parc à huîtres et de rien faire que regarder les poissons et les bateaux qui passent.»

Priscilla l'huître perlière comprit que le crabe s'intéressait à sa perle. Habituellement, elle ne la montrait pas aux autres et la gardait cachée dans sa coquille. *Mais je peux faire confiance à Corentin,* pensa Priscilla et ouvrit sa coquille. Les rayons de lune touchèrent la surface brillante de la perle et la firent scintiller. Corentin se frotta les yeux, ronds de stupéfaction et d'enchantement car il n'avait jamais rien vu de tel de sa vie.

La semaine qui suivit le raz-de-marée, Corentin se trouva d'humeur exceptionnellement gaie. Sa nouvelle locataire était d'une compagnie très agréable et Priscilla était elle-même ravigotée. Elle savourait la délicieuse nourriture de Corentin et se relaxait à l'abri du pavillon.

Corentin avait pris l'habitude de rendre visite à ses amis et de leur parler du rétablissement de l'huître perlière. Il leur parla aussi de la perle luisante qu'il avait eu le privilège d'admirer au clair de lune. Il remarqua qu'Estelle l'étoile de mer semblait un peu jalouse. Mme Barbillon avait à son tour montré à Corentin ses bijoux anciens et lui avait demandé quel âge avait la perle de l'huître. Camille l'anguille voulait absolument savoir combien valait la perle mais le crabe n'en avait aucune idée.

Juste comme Corentin rentrait chez lui de ses visites, il remarqua un visiteur étrange assis sur sa boîte aux lettres.

«Laissez-moi me présenter : Homère le homard et je viens de la côte très loin d'ici, dit-il suavement. Puis-je présumer que vous servirez une tasse de thé à un vagabond tel que moi ?

– Je suppose que oui, répondit Corentin avec hésitation. Comment se fait-il que vous êtes ici ?

– Eh bien, monsieur le crabe, ne soyez pas si modeste, le flatta son visiteur. Vous êtes après tout connu pour votre gentillesse et votre hospitalité.

– Veuillez rentrer», répondit Corentin, confus, et il fit entrer l'étranger.

Corentin servit un en-cas sur un plateau et continua à discuter avec son invité. Homère le homard répond distraitement tout en regardant autour de lui avec empressement. On aurait dit qu'il cherchait quelque chose.

«On dit, monsieur le crabe, que vous avez une nouvelle locataire, demanda-t-il, indiscrètement. Il paraît qu'elle vient de la côte. Je me demande si c'est une de mes connaissances.

"You may meet her if you wish," Colin acquiesced reluctantly. "We can have the snack in my pavilion. The pearl oyster is there, recovering from her ordeals."

—Vous pouvez la voir si vous voulez, proposa Corentin, à contrecœur. On peut prendre l'en-cas dans le pavillon où se repose l'huître perlière de ses aventures.»

Corentin vit avec méfiance Homère le homard s'esquiver dehors rapide comme l'éclair et se diriger directement vers l'huître perlière.

«Très honorable huître, veuillez accepter cette modeste fleur, déclara doucement Homère en tendant un magnifique nénuphar à Priscilla. On ne les trouve que dans la région d'où vous et moi venons.»

Corentin servit les en-cas à l'huître et à son tout dernier visiteur. Homère le homard était beau parleur et sa connaissance des huîtres perlières et des parcs à huîtres était incroyablement étendue. Même Priscilla semblait peu à peu se détendre en sa présence. Rapidement, ses joues se mirent à briller.

Corentin écoutait comment Homère racontait les longues histoires de ses propres aventures. Lui n'avait aucune histoire aussi excitante à rapporter. Il doutait que quelqu'un s'intéresserait à la façon dont un crabe réparait un toit ou érigeait une clôture. Le homard et l'huître étaient bientôt fasciné l'un par l'autre. Corentin empila les plats en silence et rapporta le plateau à la cuisine.

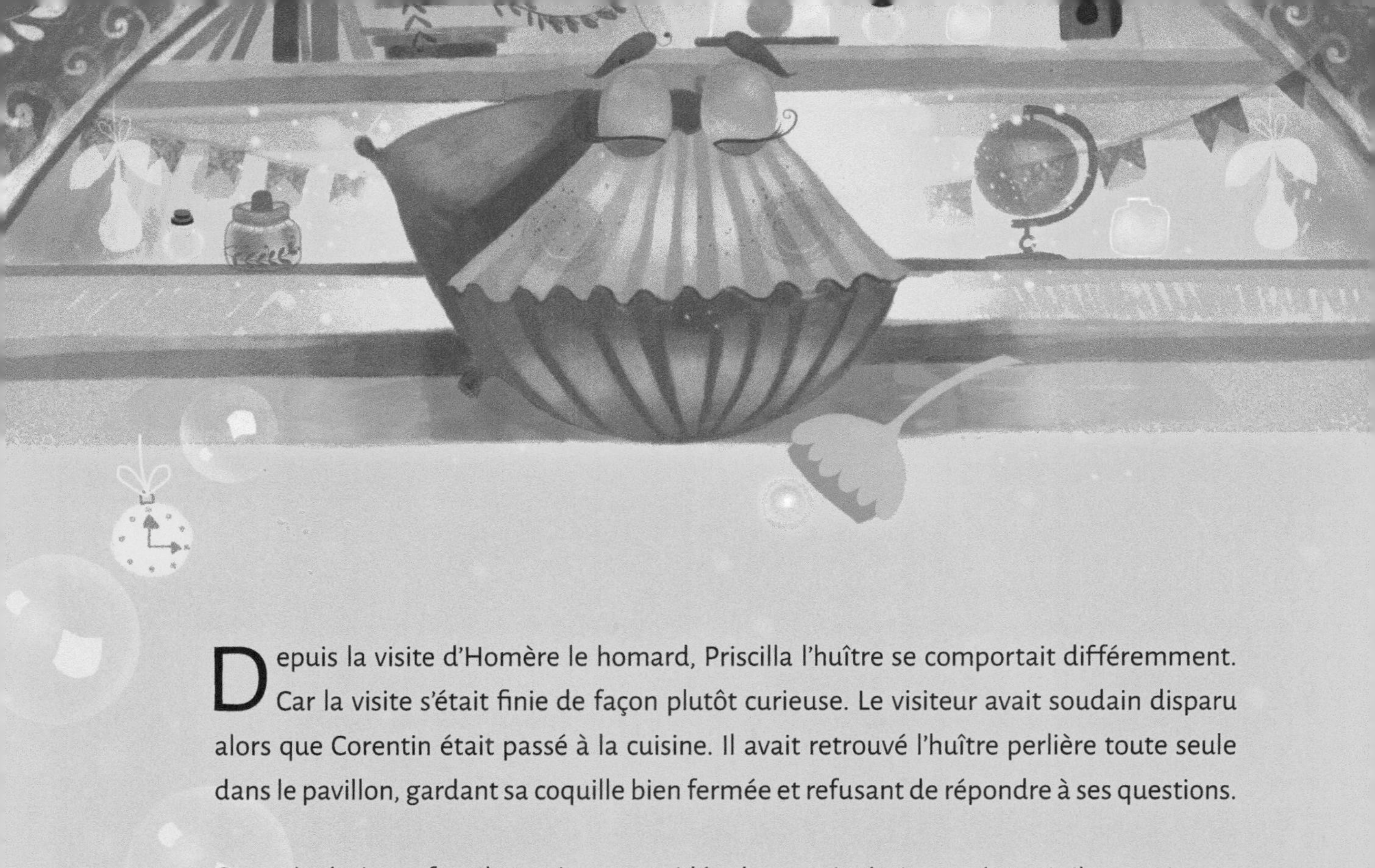

Depuis la visite d'Homère le homard, Priscilla l'huître se comportait différemment. Car la visite s'était finie de façon plutôt curieuse. Le visiteur avait soudain disparu alors que Corentin était passé à la cuisine. Il avait retrouvé l'huître perlière toute seule dans le pavillon, gardant sa coquille bien fermée et refusant de répondre à ses questions.

Corentin était confus. Il n'avait aucune idée de ce qui s'était passé. Avait-il commis une erreur ? Priscilla ne voulait-elle plus lui parler ? Tout ce qu'elle voulait faire maintenant, c'était manger et dormir.

«Cette huître s'ennuie maintenant avec moi, déduit-il. Je suis bien trop ennuyeux. Je dois faire quelque chose.»

Au fond de son entrepôt, Corentin trouva un attirail d'exercice que Camille l'anguille lui avait donné en cadeau longtemps auparavant. Il allait finalement servir car le crabe devait mettre en valeur son aspect physique. Il s'en suivit des jours de dur labeur où Corentin soulevait des poids et faisait ses exercices consciencieusement. De temps en temps, il s'examinait dans la glace mais ne voyait pas de véritable changement.

Priscilla regardait en silence ce que faisait Corentin. Elle mourait d'envie de dire la vérité à son ami mais ne savait pas comment commencer. Il s'était passé quelque chose qui n'aurait jamais dû arriver : Priscilla avait perdu sa perle.

Après avoir travaillé fort encore une autre journée, Corentin s'approcha doucement de l'huître qui se tenait toute seule dans le pavillon. C'était un soir agréable et la rivière coulait lentement.

«Je crois que tu ne vas pas très bien, dit Corentin, en caressant gentiment la coquille. J'aimerais beaucoup t'aider et j'aimerais que tu me dises pourquoi tu es si abattue.»

Priscilla continuait à se taire. Elle avait honte d'avoir cédé si facilement à Homère le homard. Elle avait cru à ses compliments creux et avait laissé cet étranger trompeur prendre sa perle dans ses pinces. Lors de la courte lutte qui s'ensuivit entre le homard et l'huître, la perle était tombée dans le lit pierreux de la rivière. Reverrait-elle sa perle un jour ?

Le silence continua mais Corentin attendit patiemment.

Le crabe et l'huître perlière se tenaient l'un à côté de l'autre dans le pavillon tandis que la lune poursuivait sa course dans le ciel. Ses rayons touchèrent les larmes qui coulaient de la coquille. Finalement, celle-ci s'ouvrit lentement et Corentin put voir que la perle n'était plus là. En pleurant, Priscilla lui raconta ce qui était arrivé.

«Mais pourquoi ne me l'as-tu dit pas dit tout de suite ? lui demanda Corentin, surpris.

– Je n'en ai pas eu le courage. J'avais peur de ne plus rien valoir à tes yeux, confessa l'huître.

– Comment as-tu pu penser cela ? C'est ton amitié qui a le plus de valeur pour moi. La perle n'est pas importante, c'est toi qui es importante,» répliqua Corentin, sérieusement.

Corentin le crabe était habituellement aussi tranquille que Basile mais là, il bouillait à l'intérieur. Mais quel culot il avait, cet Homère le homard ! Attaquer une innocente huître pour lui essayer de lui voler sa perle comme ça! Corentin décida qu'il retournerait toutes les pierres et trouverait la perle.

Les pinces du crabe attrapaient sans discontinuer les pierres et les racines au fond de la rivière. Obstiné et systématique, il chercha dans tous les terriers de la baie. Finalement, ce dur travail fut récompensé. Épuisé mais souriant largement, Corentin brandit la perle brillante sous les yeux de Priscilla l'huître perlière.

«Je te serai reconnaissante à jamais, dit Priscilla, en caressant la perle que Corentin venait de trouver. Personne n'aurait pris la peine de la chercher aussi longtemps que toi.

– Mais pourquoi as-tu l'air si triste alors ?, lui demanda Corentin, surpris, lorsqu'il vit que ses yeux se remplissaient de larmes.

– Vivre ici avec toi, c'est super, vraiment. Mais ma famille et l'océan me manquent, dit Priscilla doucement. Je vais partir demain.»

Corentin savait que ce n'était pas la peine d'essayer de persuader Priscilla l'huître perlière de rester. Son chez elle, c'était le parc à huîtres sur la côte et Corentin le comprit.

Camille l'anguille vint chercher Priscilla avec son nouveau moto-coptère. Camille allait traverser l'océan pour aller voir sa famille et avait promis de ramener l'huître perlière chez elle au passage. Avant de monter à bord, Priscilla remercia Corentin et le serra contre elle encore une fois. Les deux amis s'étreignirent tellement fort que leurs coquilles craquèrent presque. Les portes du moto-coptère se fermèrent et en un instant, le fabuleux engin de Camille disparut vers l'estuaire.

Corentin fit le tour de sa cour vide. Il se sentait mélancolique mais décida de ne voir que le bon côté des choses. L'huître perlière était repartie à l'abri de sa maison et de sa famille. De toute façon, elle était devenue son amie. Tout excité, Corentin commença à préparer l'avenir. Lui aussi pourrait acheter un moto-coptère, petit et usagé, pour rendre visite à Priscilla, l'huître perlière.

Alors que la nuit tombait, la lune se leva sur la baie. Corentin s'assit sur son porche et admira la lumière argentée. Elle lui rappelait une certaine huître et sa perle. Mais le plus important était qu'il savait que cette nuit, Priscilla regarderait la même lune que lui, là-bas au loin sur la côte. C'est ce qu'ils avaient décidé ensemble de faire.

Lightning Source UK Ltd.
Milton Keynes UK
UKHW051858120421
381859UK00002B/160

9 789523 251700